CE

Illustrations : Isabella Labate
Textes originaux : Flavio Sasso

Pour l'édition française
Réalisation : Atelier Gérard Finel, Paris.
Traduction-adaptation : Sylvie Girard
2-7434-1456-1
Imprimé en Italie

Éditions du Korrigan

adame Tortue, la maîtresse d'école, regarde sa classe, puis elle dit à tous les écoliers qui l'écoutent attentivement (enfin, pas trop distraitement) : « Mes chers élèves, j'ai décidé qu'à partir d'aujourd'hui, chaque jour, l'un de vous racontera une histoire en classe. Peu importe qu'elle soit vraie ou inventée, à condition qu'elle soit intéressante et distrayante.

« Voyons un peu : qui d'entre vous veut commencer ce matin ? »

Tous les enfants se regardent un peu intimidés : c'est difficile de parler devant tout le monde ! Mais finalement Tom l'écureuil lève la patte. « Peut-être… je peux essayer… », dit-il d'une voix incertaine, étonné de son propre courage.

« Je pense que je pourrais vous raconter ce qui est

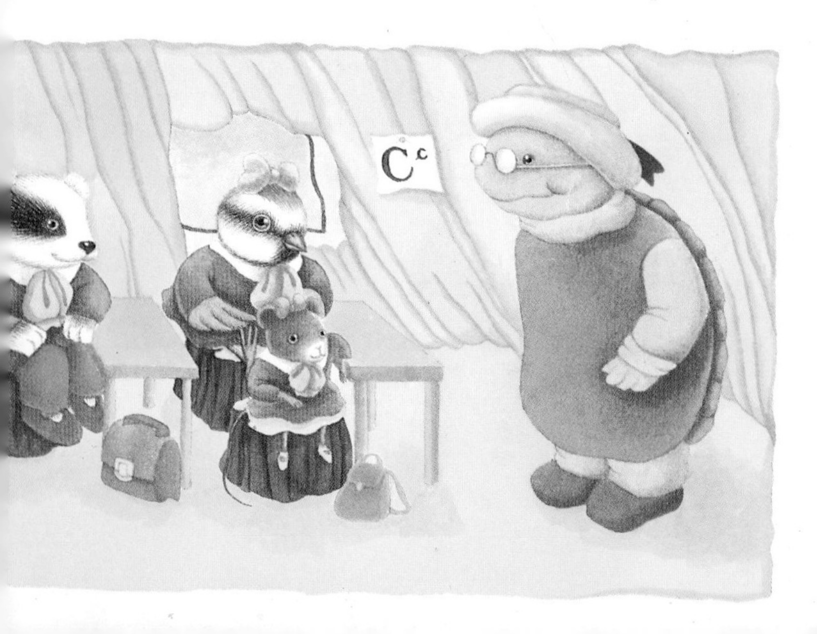

arrivé il y a quelques mois à… mon cousin Billy… et aussi à mes autres amis qui habitent dans le bois des Pins sur la Colline rouge… »

« Très bien Tom. Nous t'écoutons », dit Madame Tortue en l'encourageant.

« Eh bien voilà… Il y a quelques mois, je me souviens, c'était un dimanche et il faisait très beau, Billy était allé jouer dans le bois. Nous avions fait un superbe déjeuner de noix et de noisettes, vraiment délicieux… »

« Mmmm…, intervient Madame Tortue, mais alors, tu y étais aussi dans le bois, il me semble ? »

« Euh… oui… bien sûr… c'est vrai », répond Tom un peu embarrassé.

« Allons, ce n'est rien, poursuis ton histoire. »

« Alors voilà… Nous étions partis dans le bois… »

Puis il poursuit, d'une voix un peu plus assurée : « Près de la vieille souche du Grand Chêne, nous avons rencon-

tré nos amis : les petites souris Pattes-Menues, qui courent toujours partout à toute vitesse, Théo le castor, qui nage comme un poisson, et Bruno le petit ours, qui a le même âge que nous, mais qui est six fois plus grand et plus fort que nous.

« Les Pattes-Menues nous ont proposé de jouer à cache-cache

et nous avons accepté avec joie.
« C'était au tour de Billy de compter ; alors, pendant qu'il fermait les yeux, nous avons couru nous cacher un peu partout.
« Lorsqu'il est enfin arrivé à "cinquante", Billy a commencé à nous chercher d'un côté, puis de l'autre, mais il n'arrivait à

trouver personne. C'est alors qu'il a décidé de s'aventurer, seul, dans le bois.

« Tout à coup, on a entendu le bruit sec d'un piège à ressort en fer : "Clang !", suivi d'un terrible hurlement de douleur.

« Épouvantés, nous sommes tous sortis de nos cachettes pour nous précipiter vers les pleurs et les cris qui venaient de la forêt.

« Billy avait une patte emprisonnée dans un piège à renard et il pleurait à chaudes larmes tellement il avait mal. Heureusement, Bruno est si fort qu'il a réussi, seul, à ouvrir les mâchoires en fer du piège et à libérer mon pauvre petit cousin de cette

atroce machine infernale.
« Mais sa patte était blessée et peut-être bien cassée. Alors Bruno a pris Billy sur son dos et

nous sommes tous revenus en courant chez Tante Caroline. C'est la maman de Billy. Elle aussi, elle a eu très peur. Mais, sans paniquer, elle

a lavé la patte de Billy. Elle s'est aperçue alors que la blessure était assez grave, et a demandé

aux souris Pattes-Menues de vite aller chercher le Docteur Hérisson. Vous savez, ce docteur avec les cheveux en brosse, tout droits sur la tête.

« Le docteur est arrivé tout de suite. Il a examiné très sérieusement la patte de mon cousin en la regardant de très près avec beaucoup d'attention à travers ses petites lunettes rondes.

"Il va falloir désinfecter, a-t-il marmonné, et faire un bandage bien serré, car ta patte est fracturée."

"Ça va piquer un peu", a-t-il dit ensuite à Billy. Après

avoir fouillé dans sa mallette, il en a sorti une pommade qu'il a étalée avec soin sur la patte. Il a pris ensuite quelques tiges de saule bien lisses et bien droites, qu'il a placées le long de la patte de Billy et, avec une bande blanche, il a fait un beau bandage. Billy avait mal, mais comme il est très

courageux, il a réussi à ne rien dire, même pas un seul "Aïe !"
"Voilà qui est fait", a dit le docteur Hérisson très content de lui. "Maintenant, il faut rester au calme et ne pas bouger pendant au moins deux semaines. Il n'est pas question de grimper aux arbres ! Au

mieux, tu pourras aller de ton lit au fauteuil, mais pas plus !"

« Après le départ du docteur, Tante Caroline, pour nous consoler et nous réconforter après la peur que nous avions eue, nous a donné à chacun une belle part de gâteau au miel, un gâteau fantastique dont elle seule connaît la recette. Elle n'a pas oublié Bruno

le petit ours, elle lui en a donné deux parts, car il avait été très courageux en ouvrant le piège, puis en portant Billy jusqu'à la maison. »

« Bravo ! dit Madame Tortue. Je suis contente que cette aventure se soit bien terminée. Tu l'as vraiment bien racontée. Et maintenant, les enfants, fermez vos livres et vos cahiers. Nous allons tous dans le pré pour la récréation. »

Tom l'écureuil

Léo le lapin

Ralf
le petit ours

Madame Tortue

Betty
la mésange

Tina
la souris

Ben
le blaireau